序
Preface

　　五年前，本人在从事美术教学工作的同时受聘于一家装饰工程公司，负责装潢设计工作。在深入社会、了解人对生活环境及生存空间的需求的基础上，不断适应社会需要，我的设计逐步走向多功能组合化，不但具有全方位的实用性，而且满足了人们不断进步的视觉需求。在全面掌握设计与结构、设计与施工、设计与材料的综合运用的过程中，我深感现代科技的迅猛发展在设计中所起到的不可替代的作用。在此期间承蒙各方人士的谅解与指导，使我越来越深刻地体会到室内外设计是一种综合性很强的艺术门类。它以建筑为基础，以人体工程学、心理、视觉为依据，以科技、材料为表达手段进行一系列有序的组合。设计一个完整的方案，要依靠经验的累积和各方面知识的汲取。也正是人们对此有各种不同的认识，所以当今室内外设计更加多元化，异彩纷呈、风格迥异。

　　手绘作为一种传统的表现手法，是设计师将自己的感性思维设计向具象、理性、完整逻辑思维设计推进的一个过程。它是最具具象性、最自由发挥的一种表现形式。无论对于一个优秀的设计者还是一个初学者来说，深刻理解"设计"并能表达出来，不过分受制于机械，充分表现自己的灵气是非常重要的。手绘作为表现手段之一，似乎不必大做宣传和探讨，它的任务就是表达，最后还要通过技术、材料去实现。但是一幅优秀的设计作品，究其根源，还要看设计人员本身丰富的工作实践、超前的思维方式和艺术修养上的远见卓识，这就要求设计者对绘画、雕塑、摄影等艺术门类具有相当的修养。手绘表现的优劣可以说是对一个设计师最直接和最直观的反映，但随着现代化社会的不断进步，手绘已不能完全适应时代发展的需求。因此，怎样同计算机这种先进的设计工具有机结合，使得整个设计更加快速、更加出神入化而又不失其内在的神韵，就成了设计师们极其重要的研讨课题。这对设计者具有很高的艺术要求与技能要求。

　　随着信息化的到来，似乎在一夜之间室内外设计师们摆脱了图版、画笔手绘的艰辛劳动和时限紧迫的困扰，代之以利用电脑与鼠标进行创作。工作方式的改变与工具的更新使设计师们的工作效率得到了成倍提高。电脑工艺逼真地模拟、细致地刻画得到了许多设计师的青睐。但是，在我们享受计算机绘画给我们带来的高效与逼真的同时，也深深体会到，计算机对人的感性设计思维的制约是无法解决的，尤其是手绘的空间神韵和对灵感的自由表达，都是计算机无法企及的。电脑图的完美表现也并非只需懂得建模、灯光、材质和渲染就可完成的，这些仅仅是软件操作的手段而已。

　　总结教学和实践经验，并将其整理出版，本人谨以此书奉献给那些对生活追求完美的室内外设计初学者，从而提供一个进行深入思考的空间。

　　本书仅供参考，如有不当之处，虔诚恭候各界朋友批评指正。

侯天奇

目录

第一章 现代空间设计概述

第一节 设计的概念及意义

一、设计(计划、草图、结构、构想、样本)是连接精神文明与物质文明的桥梁,是人类的思维过程,是一种通过构思、计划、实施来改善人类的生存环境,以满足人类需求为终极目标的一门科学。设计以人为本,服务于人,在满足人类生活需求的同时,规范并改变人们的行为和生活方式,并且能够改变人们的思维方式,体现在人类生活的各个方面。

二、不同的历史时期,设计具有不同的使命与方向。

随着人类社会的发展和文明程度的不断提高,在不同的历史时期,设计具有不同的使命和要求。在古代社会,由于生产力低下,人类对自然现象的无知,使当时人们的设计主要为神而存在。到了中世纪,由于阶级的形成,不同的阶级群体对物质的占有量产生了极大的差距,对生存环境的要求也产生了极大的不同,因而设计主要服务于宗教和帝王贵族。在近代,由于工业革命和科学技术的发展,在提高人们生活水平的同时,过量工业化正在瓦解人类赖以生存的基础,向大自然进行的掠夺性索取,使工业污染、生态危机、环境污染等无不时刻危胁着人类的生命。为了人类的生存和发展,人们寄希望于"设计",盼望它能从宏观上改善环境。在后工业化的今天以及将来,人们对"设计"的真正使命和作用有了更加深刻的理解和认识,并对其寄予殷切的希望和期待。"设计"在改善人类生存环境、创造精神文明以及具有较高文化价值的社会环境的过程中发挥着越来越重要的作用。因此,"设计"在现代和未来将伴随着人类由不均匀分布走向密集分布,即由城市化走向民众化,"改善环境"、"创造环境"将成为21世纪全球范围内人类文化活动的重点。

三、空间设计是环境设计系统中与人们的生活、工作关系最直接、最密切、最重要的方面。因此,现代空间设计从长期被建筑设计所代替的状态下分离出来,成为一门专业性很强、发展迅速的新生边缘学科。

第二节 现代空间设计的社会背景与时代特征

一、现代空间设计的社会背景

创造具有文化价值的生活环境是现代空间设计的出发点。因此,优秀的空间设计师必须了解社会、了解时代,应对现代人类创造的环境及其文化艺术的发展趋势有一个总体认识。

任何时代的设计都带有明显的社会时代特征。西方现代社会的特点大致可归纳为功能化、巨大化和情报化,这也是当前世界各国城市发展的总体趋势。也可以说,这就是现代空间设计的社会背景。

功能化:适应高速度、高效率的现代城市需要,以大量使用汽车为特征。

巨大化:高层、超高层建筑的出现与发展,不但占据了城市中一个又一个巨大空间,同时也拉大了建筑与人的尺度差,使人们感到窒息、压抑。在这样的环境中,对空间维护表面进行绘画、雕塑的装点、修饰便随之产生。

情报化:信息时代的到来使信息、情报传递即时、快速。城市信息传递装置的发展,使生活在城市中的人们既感到紧张又觉得不可或缺。如何解决情报信息装置对环境造成的破坏以及对人类视觉造成的污染,是现代城市环境设计的难题之一。

二、室内外设计的艺术流派与风格

欧洲歌特样式

欧洲歌特样式产生于12至13世纪。其设计特点是:以竖向排列的柱子和柱尖形成向上的细花格拱形洞口,窗口上部以火焰形线脚、卷幔、亚麻布、螺形等纹样装饰,创造了当时至高无上的庄严和神秘气氛。

14世纪末,欧洲经济发展起来,一般的室内外装饰向造型华丽,色彩丰富、明亮等方向发展,并配以模仿拱形线脚的家具,形成当时空间设计的典型风格(如图1、2)。

欧洲文艺复兴样式

文艺复兴样式冲破中世纪装饰的封建性和闭锁性,转而形成重视人性化的文化特征,在对古文化重新认识的基础上,对古典样式具有再生和充实的意义。欧洲文艺复兴样式在15至16世纪进入繁盛时期,并将文化艺术的中心从宫殿移向民间,在不同的国家形成各自不同的风格与特点。

意大利文艺复兴时期的装饰大多不暴露结构部件而强调表面雕饰,运用精湛细密的描绘手法,表现丰裕华丽的效果。

英国的文艺复兴样式可见歌特式的特征,并随着住宅建筑的快速发展,室内工艺占据了主要位置(如图3)。

图1 歌特式教皇用椅　　　　　图2 歌特式住宅

意大利亨利八世时期的椅子,雕饰具有明显的文艺复兴样式特点。下部为哥特式建筑造型

图3 意大利法式风格

英国巴洛克样式

英国巴洛克样式具有荷兰风格的明显特征,与意大利、法国等独特化的巴洛克样式不同,艺术风格上端庄古雅、华丽讲究(如图4)。

洛可可式

洛可可式是继巴洛克样式之后在欧洲发展起来的。比起巴洛克样式的厚重特点,洛可可式以其不均衡的轻快、纤细曲线称著。其造型装饰多运用贝壳的曲线、皱折和弯曲形进行表现,装饰极尽繁琐、华丽,色彩绚丽,加之对中国卷草纹样的大量运用,使其具有轻快、流动、向外扩展以及纹样中的人物、植物、动物浑然一体的突出特点(如图5)。

美国殖民地时期风格

美国独立前由不同国家的殖民者所建造的房屋样式称为"殖民风格"。这种"殖民风格"的建筑与室内外设计大多采用在洛可可式基础上发展起来的欧洲样式。其设计风格强调创造自由明朗的气氛。由于加工工艺水平的原因,"殖民风格"的室内外设计及家具造型均在洛可可式的基础上予以简化(如图6)。

图4 巴洛克样式

印度古典风格

印度古典风格主要反映在佛教建筑中。几何纹样圆拱形的天花板、华丽的列柱、浮雕和半圆装饰的墙面以及雕塑和壁画相结合等室内外装饰,显示了印度的古典风格:丰满、华丽、厚重以及永恒性(如图7)。

图5 洛可可式

图6 殖民地时期风格

图7 印度古典风格

日本古典样式

日本古典样式是受中国文化的深刻影响而发展起来的,主要为高基架、木结构、室内推拉门分割空间、跪坐使用的和式建筑(如图8)。

图8 日本古典样式

图9 欧洲新艺术风格

欧洲新艺术风格

欧洲新艺术风格始于19世纪80年代比利时的布鲁塞尔。新艺术革命的目的是解决建筑和工艺品的艺术风格问题,设计师们竭力反对只知一味沿袭历史的呆板形式,希望创造一种前所未见的艺术风格,成为适应工业时代精神的简化装饰。它的主题是模仿自然界生长繁盛的草木形状和曲线。由于构件用铁便于制作各种曲线,因此在室内外装饰中大量应用铁构件。

新艺术运动的艺术实践主要体现在室内外设计上,其建筑外形一般比较简洁。1884年以后新艺术传遍欧洲,在德国称为"青年风格派",并影响到美国。它体现了在现代建筑室内外设计中倾向简化与净化的特征(如图9、10)。

伊斯兰风格

伊斯兰建筑普遍使用拱卷结构,富有装饰性。建筑空间多横向划分,面向位于南方的圣地——麦加。其建筑装饰的特点:一是穹顶的多种样式;二是大面积表面图案装饰外墙面,主要采用花式砌筑、平浮雕式彩绘和琉璃砖装饰,室内用石膏作大面积浮雕,涂绘装饰以深浅两色为主。中亚及伊朗的内装饰多用浓烈色彩及华丽的壁毯、地毯和大面积色彩装饰。

伊斯兰风格的图案多以花卉为主,曲线均整,结合几何图案、《古兰经》经文装饰,以其形、色的纤丽为特征,具有艳丽、舒展、悠闲的特点(如图11)。

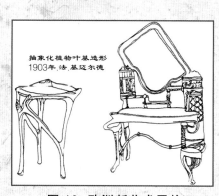

图10 欧洲新艺术风格

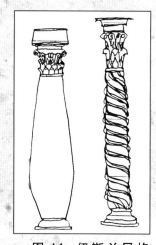

图11 伊斯兰风格

第三节　室内外设计的基本特征

一、现代室内外设计具有现代艺术的基本特征

任何时代的艺术流派与风格都是与所处时代的社会背景密切相关的。古代设计的方向和任务是服务于神；中世纪的设计服务方向是宗教和贵族；到了近代，由于工业革命和科技的发展，设计转而为人类从宏观上改善环境服务。

在现代，室内外设计将为改善人类生存环境、创造较高文化价值的环境发挥重要作用。现代室内外设计艺术必须适应功能化、巨大化、情报化的社会需求和背景，因而应具备以下一些基本特征：

尝试性：尝试使用各门类的艺术形式、科技与文化的相互渗透、强调人的参与和体验、启发童心的游戏特点等。

相关性：强调人与空间、人与物、空间与空间、物与空间、物与物之间的相互关系。

科技性：信息情报及现代科技、材料、工艺的综合体现与应用；新的宏观、微观肌理效果的追求。

流动性与可变性：节奏快速与灵活可变的特点。

时空性：时间、空间的艺术展现手段的运用。

文化性：体现当代人文、企业文化。

环艺设计是对综合性艺术的协调，具体到现代室内外设计，则应从以下几个方面思考：

①现代室内外设计审美意识的重心应以人为中心，强调人的参与与体验。

②现代室内外设计的审美层次应从形式美感转向文化意识，从过去的为装饰而装饰的一般性的创造气氛，提高到对艺术风格、文化特色和美学品位的追求以及意境的创造。

③现代室内外设计是综合艺术，强调整体把握。

④充分发挥想象力和造型能力，调动和使用各种艺术、技术的手段。

二、室内外装饰的目的

室内外装饰的目的在于美化，即在建筑师提供的空间中，对空间围护表面进行绘画、雕塑的装点和修饰。

19世纪工业化大生产的发展以及混凝土建造方式的出现，使室内外设计从建筑主体中脱离并成为相对独立的生产制作过程了。以欧洲维也纳为中心的"分离派"运动解开了单纯装饰部件和建筑主体相结合的矛盾，成为现代主义设计的先驱。随后，"包豪斯"学派强调形式追随功能，认为空间是建筑的主角，提出四维空间的理论，提倡抛弃表面虚假的装饰；主张建筑的美在于空间的合理性和结构的逻辑性等，因而要求排除装饰，强调使用功能以及造型的单纯化，给予使用功能以形态表现的重要地位。"包豪斯"学派大胆摒弃前人的设计理念，代之以更为有计划和理性的室内外设计，强调按照不同的功能要求，设计其内部空间。但现代主义排除装饰的设计必然会走向另一个极端，玻璃幕墙、光光的四壁、理性简洁的造型等等使"国际式"建筑及其室内外设计千篇一律。

60年代之后，"后现代主义"应运而生。后现代主义强调建筑的复杂性与矛盾性，反对简单化、模式化，讲求文脉，提供多样化的设计、追求人情味；崇尚隐喻与象征手法，大胆运用装饰，认为建筑就是装饰起来的掩蔽物；在构图理论中，"后现代主义"吸收其他艺术或自然科学的概念，如片断、反射、折射、裂变、变形等。

三、室内外空间设计

1.室内外空间的类型

包括结构空间、开敞空间、封闭空间、动态空间、静态空间、流动空间、固定空间、凹入空间、凸出空间、下沉空间、地台空间等。

2.室内外空间的分隔形式

包括绝对分隔、局部分隔、象征性分隔、弹性分隔等。

3.室内外空间分隔的基本方法

包括建筑结构分隔、水平面高差分隔、各种隔断分隔、家具分隔、色彩分隔、植物绿化分隔等。

4.室内外空间界面的艺术处理

包括结构表现、材质表现、光影表现、层次变化表现、色彩空间感表现、灯光照明效果表现等。

四、室内外环境设计因素

（一）室内外光环境

1.照明设计

自然光、人造光（灯光）、自然光源设计、人造光源设计、照明的功能要求、光的艺术效果等。

2.灯具的样式

吊灯、台灯、地灯、壁灯。

大型组合式、中国传统式、东方风格式、欧美风格式、反光灯槽、灯具安装、安全指示照明等。

（二）室内外绿化设计

利用绿化组织室内外空间形式。

利用绿化美化室内外环境。

室内外绿化的植物配置。

空间的绿化形式。

室内外绿化常用的植物、盆景、插花。

（三）室内外的陈设艺术

1.地毯、窗帘、家具色面、织物、陈设覆盖织物（靠垫、壁挂）

2.室内外陈设风格种类与视域

书法艺术、中国绘画、西方绘画、民间绘画、装饰家具、装饰灯具、钟表、陶器、吊篮与壁面饰架、佛像、烛台。

室内外设计的一般流程

| 绘图前准备工作 |
| 熟悉现场空间及平面图 |
| 透视方法与角度选择 |
| 构思、手绘设计草案 |
| 电脑效果图制作 |
| 绘制施工图 |
| 校　正 |
| 装　裱 |

第二章　　空间设计表现的基本训练

　　室内外设计与其他实用艺术一样，随着社会科学技术的发展在不断进步。由于对电脑应用得越来越广泛，人们似乎已经不重视并且疏远了手绘的表现能力。但一个好的设计需要设计师拥有坚实的造型基础和专门的技巧，能够正确地将二维图形转化为三维形式，并结合人体工程学将物体的结构、尺寸、色彩、空间层次等表达出来，让人们感受到艺术语言独到的感染力。这同其他艺术设计门类一样，需要有坚实的造型基础和专门技巧做支撑。这就需要大量的基础训练，并利用这些训练手段去表现设计中的思想和审美，这是掌握这些技术、技能的根本目的和意义。

　　一、素描基础训练

　　素描学习是人们掌握美术专业这门复杂学科的必要手段，因其使用工具简单而成为美术造型基础训练的主要方式。学习素描不但能掌握和理解造型的法则和规律，同时结合室内外设计的特点，强调表现性，理解、发展和强化客观物体自然特征的形式，是室内外设计专业素描训练的主要内容。另外还应加强对室内空间装饰物的绘画训练。

　　1.基础训练

　　2.结合室内外设计特点进行对静物表现的训练

　　二、色彩训练

　　作为室内外装饰的设计者，如果有较好的色彩基本功，对整个画面的表现会大不相同，并且能够从表现入手，强调物与物、物与环境之间的色彩关系。区别与绘画艺术的色彩方法，强调主观色彩，增加表现力。

　　三、户外写生训练

　　主要以钢笔或铅笔为手段表现建筑物及周边环境，通过户外写生训练能培养和增强对画面的处理能力和对自然对象的表现能力。

　　四、空间透视学的训练

　　透视学是各学科的基础科学，正确掌握透视规律，有利于很好地表现空间关系的架构图，这对于室内空间设计的画面效果和空间感的表达非常重要。

　　五、对社会、文化修养和生活情感的了解与培养

　　设计可以体现作者的文化底蕴，是设计者文化、情感、思想的流露，并将其传递给受众群体。因此对文化修养以及生活情感的培养，对一位设计者也是至关重要的。

第三章　　空间设计的室内外透视法

第一节　　透视图法的意义

"透视"一词源自于拉丁文,有看穿、看破的意思。透视图实际上就是物体投射到人的眼睛的无数光线,在通过平面玻璃板时与玻璃平面相交的无数点连接形成的虚像。此时,如果我们根据所见,将立体的物体描绘在平面的玻璃上,或按照该原理描绘在不透明的纸上,这种将物体呈现在眼中的影像描绘在平面上的方法,称为"透视图法"。

一、透视图法的应用

透视图法的应用范围日趋广泛,专业人员及美术、广告、建筑、机械等科系学生必须掌握。就现代超现实主义画家而言,他们就是借助透视图法的表现形式及手法,对其作品进行更精湛、更完美地表达。

二、用语解说

1. 立点(S.P)

制图者在制图时所站立的点。

2. 视点(E.P)

制图者眼睛的位置。

3. 消点(V.P,灭角90°,物体最好在60°以内)

制图者以一直线延伸的视线,透过建筑物到达遥远的地平线上的一点,同方向的直线会在地平线上的同一点消失,此点称为消点。

4. 中心视线(C.V.R)

从制图者视点向正面一直延伸的视线,在视野的中心,视点连接到消点的中心线,即是中心视线。

5. 视心(C.V)

制图者的视点向正面延伸的中心视线会与地平线的一点相交,此点即为视心。

6. 地面(G.P)

表示物体和制图者所站立地面。

7. 地平线或水平线(H.L)

无任何障碍物的平面如海面、平原,会形成地面与天空相交成的一条直线,这条直线恰与眼睛高度一致呈水平状,这就是地平线,也称水平线。

8. 基线(G.L)

画面连接地面的线。

9. 基点(G.L.P)

从视心向基线画一条垂直线,两者相交的点就是基点。画透视图时,基点是决定深度、高度尺寸的基准点。

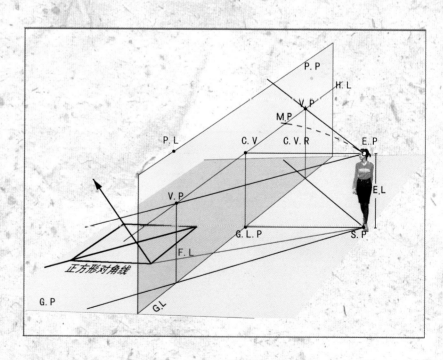

用语解说图

10.画面(P.P)

即描绘透视图时所设定的假想面。

11.画面线(P.L)

若从平面图来观察图的建筑物画面及制图者的关系时,画面会成为一直线,因此平面上的画面状态称为画面线。

12.眼睛的高度(E.L)

视点等于眼睛的高度,与水平线或地平线的高度相等。

13.足线(F.L)

物体的一个点与立点在地面上投影点的连接线。

14.测点(M.P)

为了测量透视图面的宽度、深度、高度所使用的点。

三、作图者、物体与画面间的关系

1.因作图者与画面距离的远近不一样,而产生不同角度的透视图。

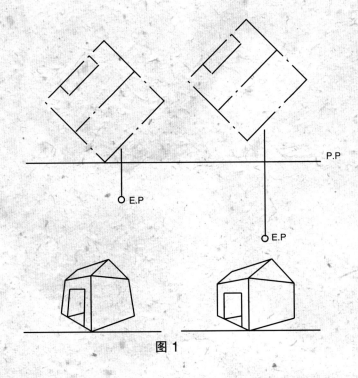

图 1

2.物体与画面形成的角度不同,表现在画面中的物体透视也不同,如(图2)左图,物体与画面平行,为平行透视,即一点透视;而(图2)右图因画面与物体形成角度而成为成角透视即两点透视。

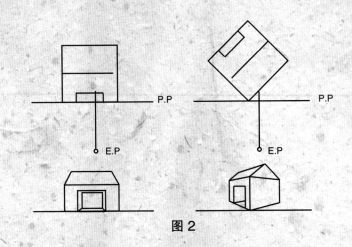

图 2

3.画面与物体的位置不同,形成在画面外的物体透视图形较小,而在画面内的物体,透视图形较大。

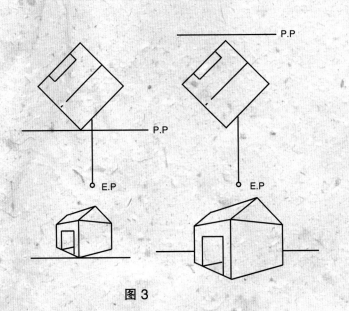

图 3

第二节　一点透视法

一、一点透视法的范围

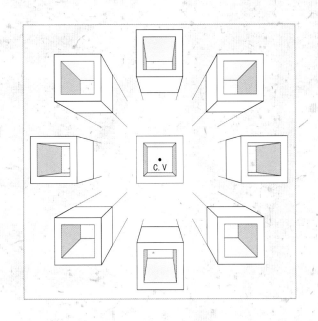

图 1

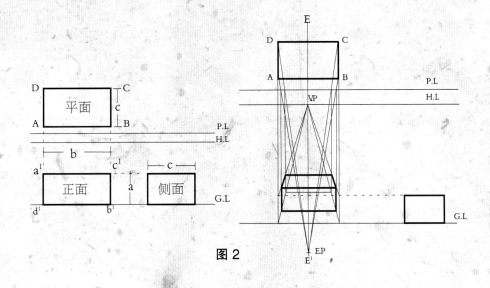

图 2

二、一点透视足线法 (投形法)

连接物体与立点 (S.P) 在地面上的投影点,此连接线称为足线 (F.L),而利用足线绘制透视图的方法,称为足线法。

使平面图的一边和画面线形成平行的状态,把它放置于画面线,并以和基线相接的状态描绘出物体的侧面图,把平面图的深度 ABCD 延长到基线 (G.L),再从侧面图水平移动物体的高度,如此可求出 ABCD 的物体立面图 (如图 2)。

先决定视点。对物体平面的 A、B 面来说,中心视线呈垂直,所以观察物体平面的视点位置最好选取在作图者视野 60° 的范围内,而中心视线和基线的交点就是基点 (G.L.P)。基点到视点的距离,即为物体和作图者间的距离。然后连接视点 (E.P) 和平面图的 A、B、C、D 点 (如图 2、3)。

这就是利用足线法完成空间透视图,其宽度、深度、可由视点 (E.P) 连接平面图上的点求出,而高度则须利用在基线上的立面图的延伸线上求出。

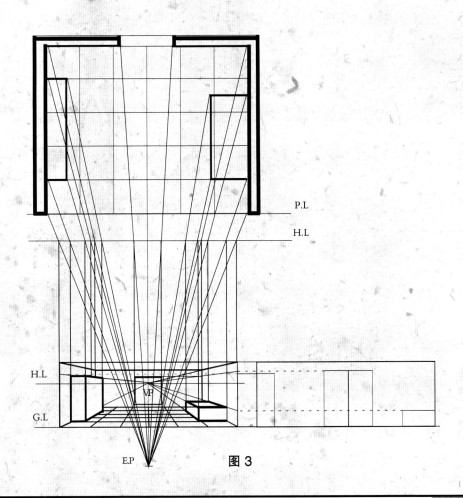

图 3

三、一点透视测点法

一点透视测点法,是在描绘透视图时直接以平面图的尺寸(长、宽、高)在基线(G.L)上绘图(图4的作图法)。此时,测点即是距离点(D.R)。

1.距离点的说明图

图4:直线平行于地面,与画面成45°时(如图中正方形对角线),在透视图中,其消点即是距离点,亦即一点透视时距离点相当于45°直线的消点。

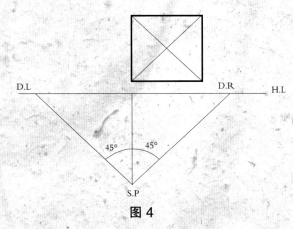

图4

描画透视图时,如果利用正方形对角线消失於距离点,可因此而引申出多种简便的制图法。

2.距离点的平面说明图

案例1.正方型ABCD的透视图

图5:正方形平面图

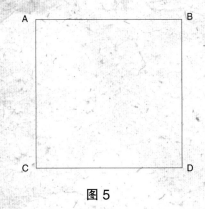

图5

图6:以正方形平面图 AB 尺寸配置于基线上位置,A、B 连接视心。因为是正方形,AB 宽度等于 BC 高度,在求取透视图长度时 A、B 点消线相交于 C、D,连接 CD,即求得透视图 ABCD。

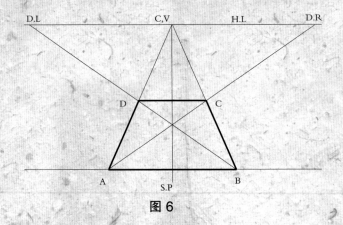

图6

案例2.求异型长方体透视图

图7:异形长方体平面图

先在平面图上假设 H、G 两点,以方便作图。

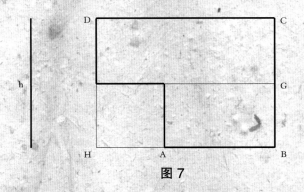

图7

图8:配图点 H、A、B 于基线任意位置上而得点 H^1、A^1、B^1,其宽度和平面图宽度尺寸相同,点 H^1、A^1、B^1 连接视心作消线。

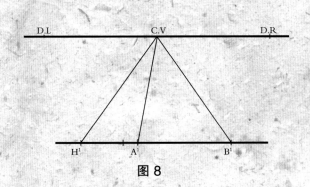

图8

图 9：B¹ 点向左方基线上配置长度尺寸点 C.G；其中 B¹C、CG 的
尺寸与平面图 7 的 BC、CG 的尺寸相同。C、G 再连接右方距离点并和
B¹ 消线相交于 C¹、G¹。自 C¹、G¹ 点画平行线，如此可得平面透视图。

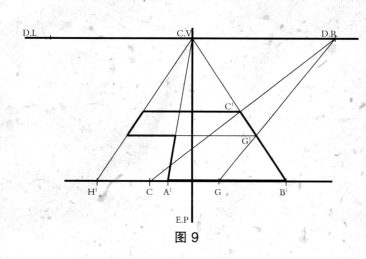

图 9

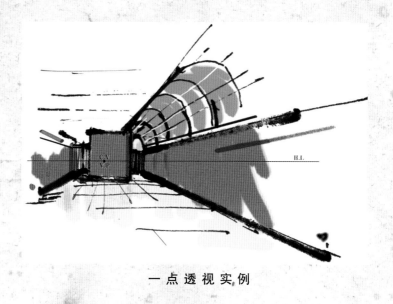

一 点 透 视 实 例

图 10：于基线上加入高度尺寸，则可求出立体透视图。

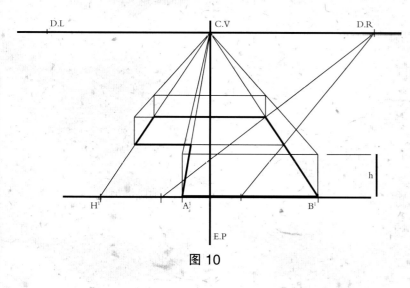

图 10

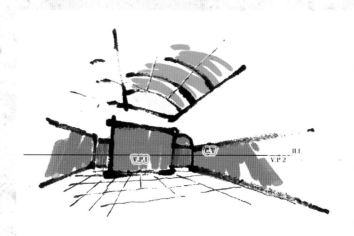

两 点 透 视 实 例

第三节　　　两点透视法

一、两点透视法的范围

两点透视法是常用的作图方式,它能表现物体的立体效果和各种变化。

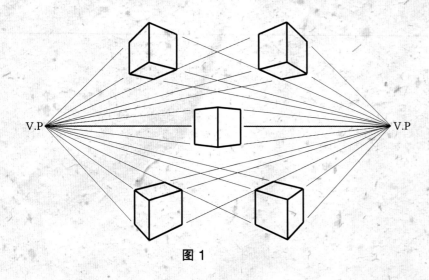

图1

二、两点透视足线法

图2:先配置平面图的位置和角度(30°、60°),再画出画面线P.L、视平线H.L、基线G.L。决定中心视线和视点(E.P),自视点(E.P)作出与AD、AB平行的线,和P.L相交于E、F两点,再从E、F两点分别向H.L画垂直线,相交的点即左右消点(V.L、V.R)。

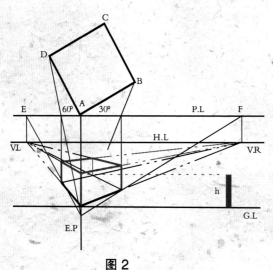

图2

三、两点透视测点法

依图3所示的设计图,按照图4的条件(60°、30°两点)来描画作图顺序。

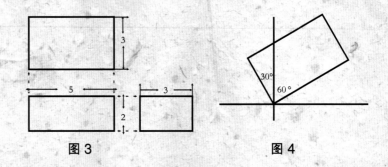

图3　　　　　　　　　图4

图5是根据图3的设计图面所作的透视图图解。乍看之下,线条复杂交错、难以了解,所以利用分解图形来说明作图顺序。

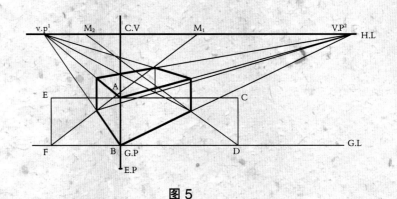

图5

1.求出视点、视心(图6)

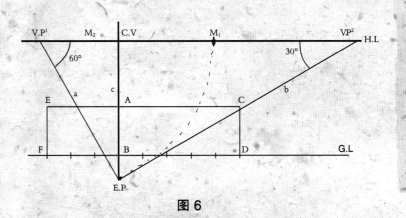

图6

首先画出水平线（H.L），在此线上以随意的距离取消点 V.P¹、V.P²。把 V.P¹V.P² 两等分，等分点为 M₁。以 V.P¹ 为圆心、V.P¹M₁ 为半径画出一个半圆，从 V.P¹ 画出和水平线成 60°的 a 线，和圆交于一点；再从 V.P² 画出和水平线成 30°的 b 线，和圆交于一点，此点与从 V.P¹ 画出来的 a 线交点相同，即为视点（E.P）。从 E.P 作与 H.L 的垂线，其交点就是视心 C.V。

要求出视点，还有另一种方法：不必描画半圆，而直接从 V.P¹ 画 a 线，再从 V.P² 画 b 线，两线交点即为视点。

从视点（E.P）画出与水平线（H.L）垂直的 C 线（高测线），所产生的交点即为视心（C.V）。

2. 决定测点（图 7）

在水平线上，以 V.P¹ 为中心、V.P¹E.P 为半径，画出圆弧以决定测点 M₁。同样，以 V.P² 为中心、V.P²E.P 为半径画出圆弧，与水平线的交点就是测点 M₂。

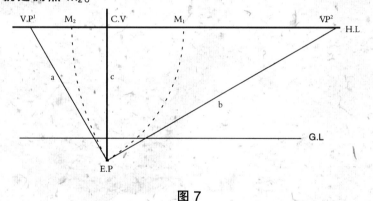

图 7

3. 决定基线及尺寸测点（图 8）

和水平线（H.L）平行、依据眼睛的高度画出基线（G.L），基线和高测线的交点就是基点 B。从基点往右，在基线上测出物体的立面尺寸，再往左测出物体的侧面尺寸（缩小尺寸）。

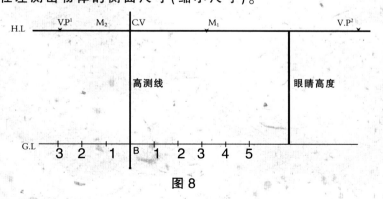

图 8

4. 描画物体的平面透视图（图 9）

首先，从基点 B 向 V.P¹ 和 V.P² 分别画出消线，然后连接物体的宽度尺寸点 D 和测点 M₂，即可求出和消线的交点 D¹；物体的深度尺寸点 F 和测点 M₁ 连接，求出和 V.P¹ 消线之交点 F¹。连接 D¹ 和 V.P¹、F¹ 和 V.P²，得到交点 G。连接 B、D¹、G、F¹ 点的图形，就是物体的平面透视图。

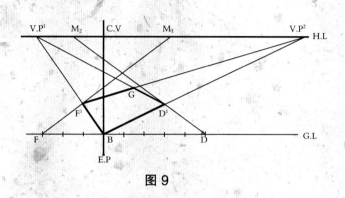

图 9

5. 物体高度的平面透视图（图 10）

从基点到物体高度 A 点的宽度尺寸为 AC，深度尺寸为 AE。分别连接 A 点和 V.P¹、V.P²，再连接宽度尺寸点 C 和 M₂，可以求得交点 C¹；连接深度尺寸点 E 和 M₁，得出交点 E¹。连接 C¹ 和 V.P¹，再连接 E¹ 和 V.P²，两线交点为 H，所得到的图形 AC¹HE¹，就是物体高度 A 点的平面透视图。

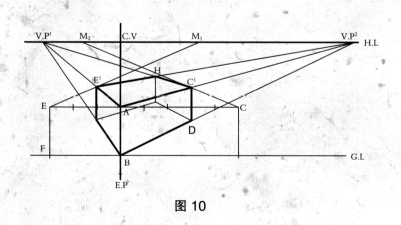

图 10

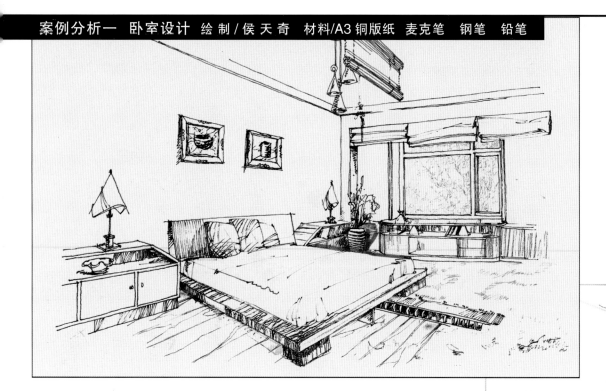

第四章　案例分析

案例分析一　卧室设计

步骤1：选择适合的浅彩纸，利用其颜色作为底色，勾画出设计对象在整张画面中的位置，注意画面的平衡。勾画时要尽量把画面中的物体结构表现清楚。

步骤2：根据整张画面的明暗关系，用麦克笔画出阴影及过渡部分。注意，保持画面颜色的谐调性，应搭配得当，不能搞乱画面的色彩。

这一步可以试着默写装饰物。

步骤3：分析主体的明暗关系。床面的质感应表现得真实，并对地面进行深入刻画。地板、地毯都要表现清楚，同时刻画装饰物。装饰物虽然是配角，但不可缺少，在整张画面里的地位很重要。

步骤 4：对全图进行整体调整。主要对物体的受光部进行深入刻画，如天花板、床、地面都要表现出光线的来源与照射的效果。

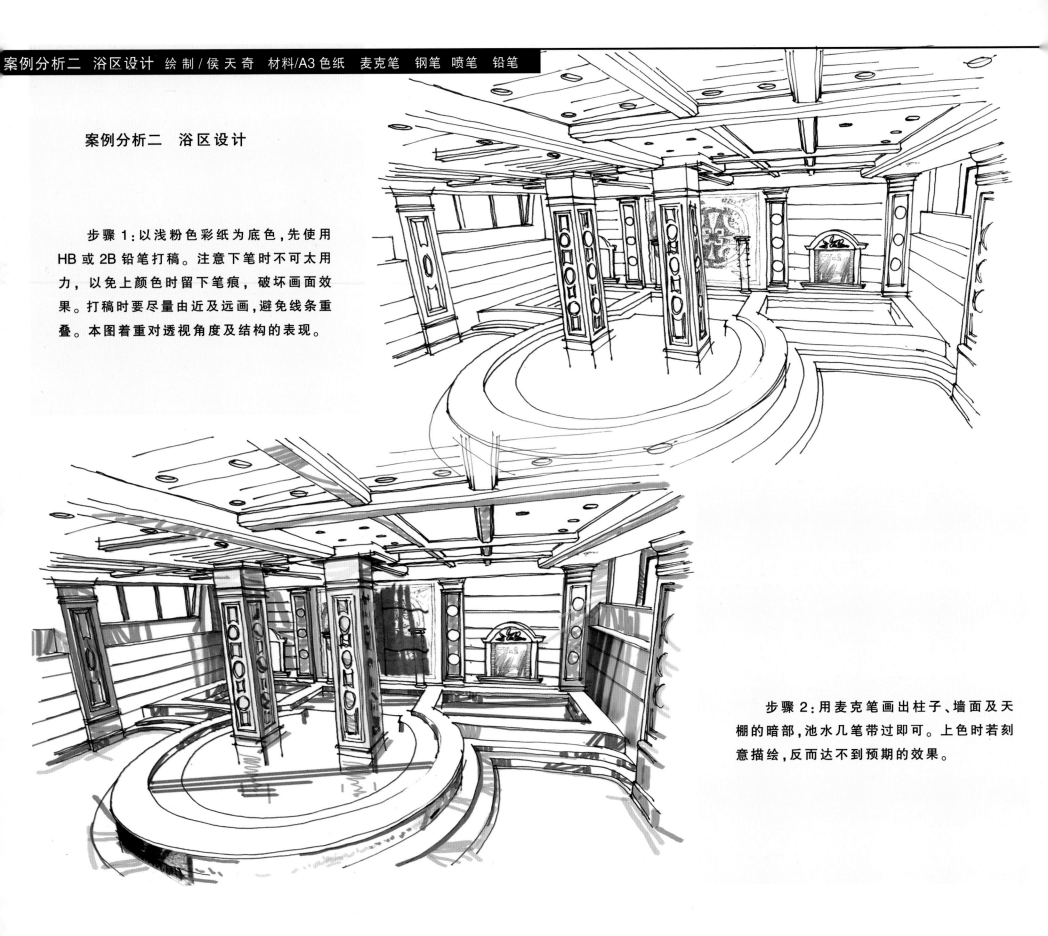

案例分析二　浴区设计

步骤1：以浅粉色彩纸为底色，先使用HB或2B铅笔打稿。注意下笔时不可太用力，以免上颜色时留下笔痕，破坏画面效果。打稿时要尽量由近及远画，避免线条重叠。本图着重对透视角度及结构的表现。

步骤2：用麦克笔画出柱子、墙面及天棚的暗部，池水几笔带过即可。上色时若刻意描绘，反而达不到预期的效果。

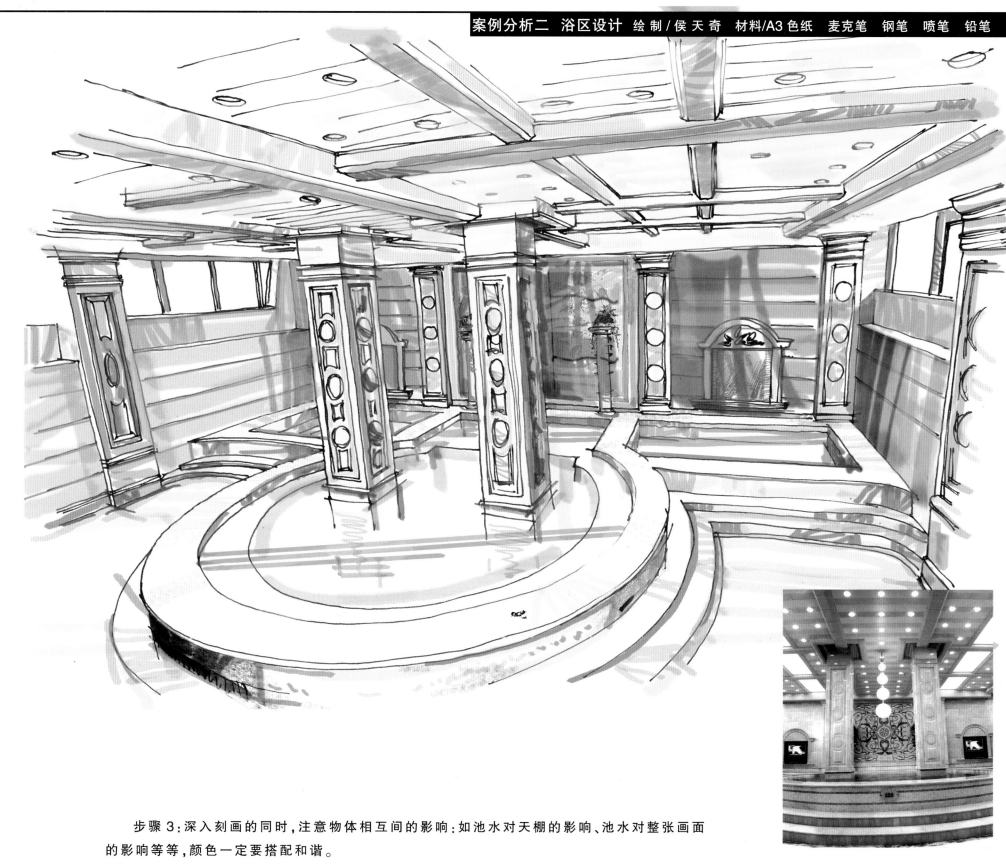

　　步骤 3：深入刻画的同时，注意物体相互间的影响：如池水对天棚的影响、池水对整张画面的影响等等，颜色一定要搭配和谐。

　　画面中每个物体都不是独立存在的，所以本图的重点就在于对每个物体间相互影响关系的表现。

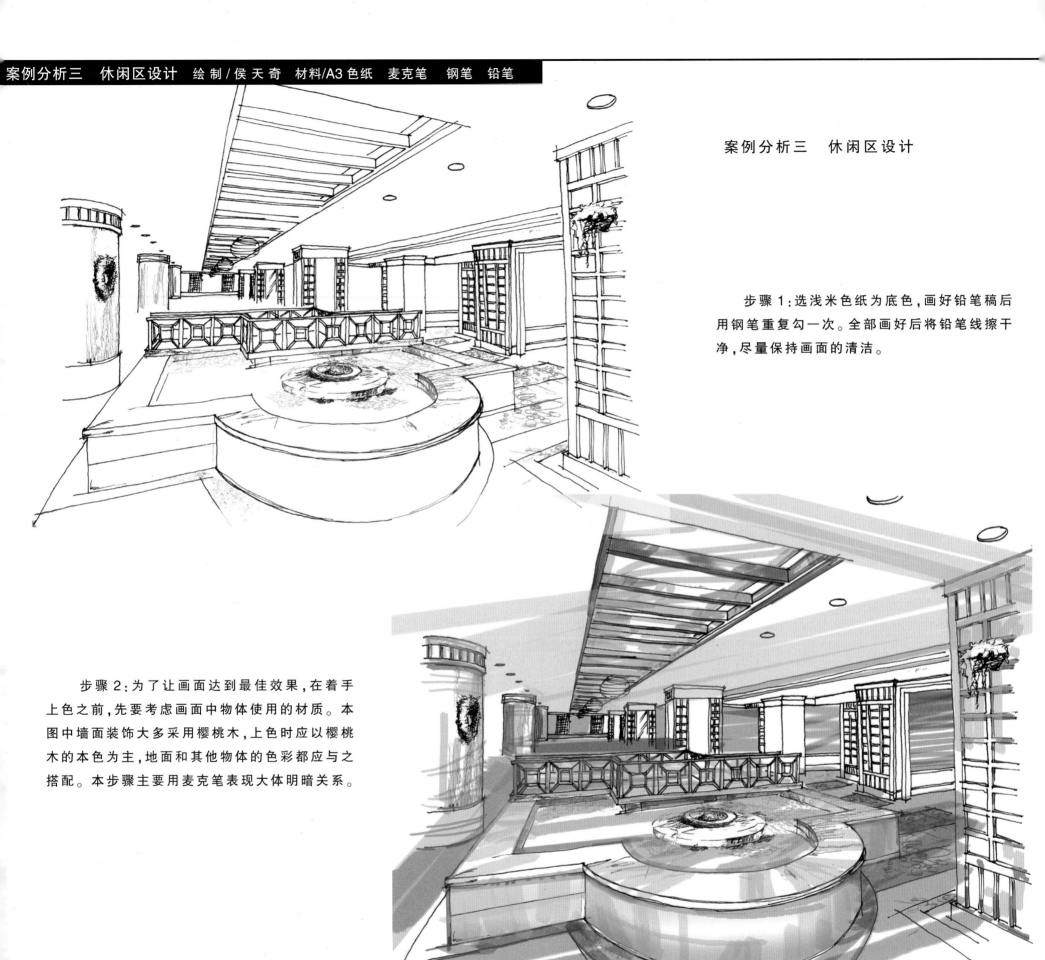

案例分析三　休闲区设计

步骤1：选浅米色纸为底色，画好铅笔稿后用钢笔重复勾一次。全部画好后将铅笔线擦干净，尽量保持画面的清洁。

步骤2：为了让画面达到最佳效果，在着手上色之前，先要考虑画面中物体使用的材质。本图中墙面装饰大多采用樱桃木，上色时应以樱桃木的本色为主，地面和其他物体的色彩都应与之搭配。本步骤主要用麦克笔表现大体明暗关系。

步骤3：对画面深入刻画，点出灯光。加上适当的装饰物，会使画面更为生动。

本图力求体现出休闲区轻松、愉快、休闲的特点。

案例分析四　室外设计(电脑合成)

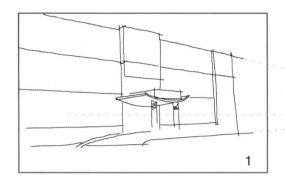

1.先选好要表现的角度,并准备一些素材包括人物、装饰物等。

2.按选定的角度,细致地画出大楼的设计外观和部分装饰物。

3.将绘制好的效果图扫描或照像存入电脑,使用 Adobe Photshop 软件选择适当的天空和地面等素材加入画面。

4.选一些车辆图片,并按透视关系组合在画面中。

5.选一些人物并对其颜色、大小作一些调整并加入画面中。

适当地选择一些符合客观规律的装饰素材加入画面,可以对作品起到"画龙点睛"的作用。

整个画面感觉比较严谨,经过 Adobe Photshop 电脑软件的进一步制作、处理,使画面效果更加逼真、活跃、自然。

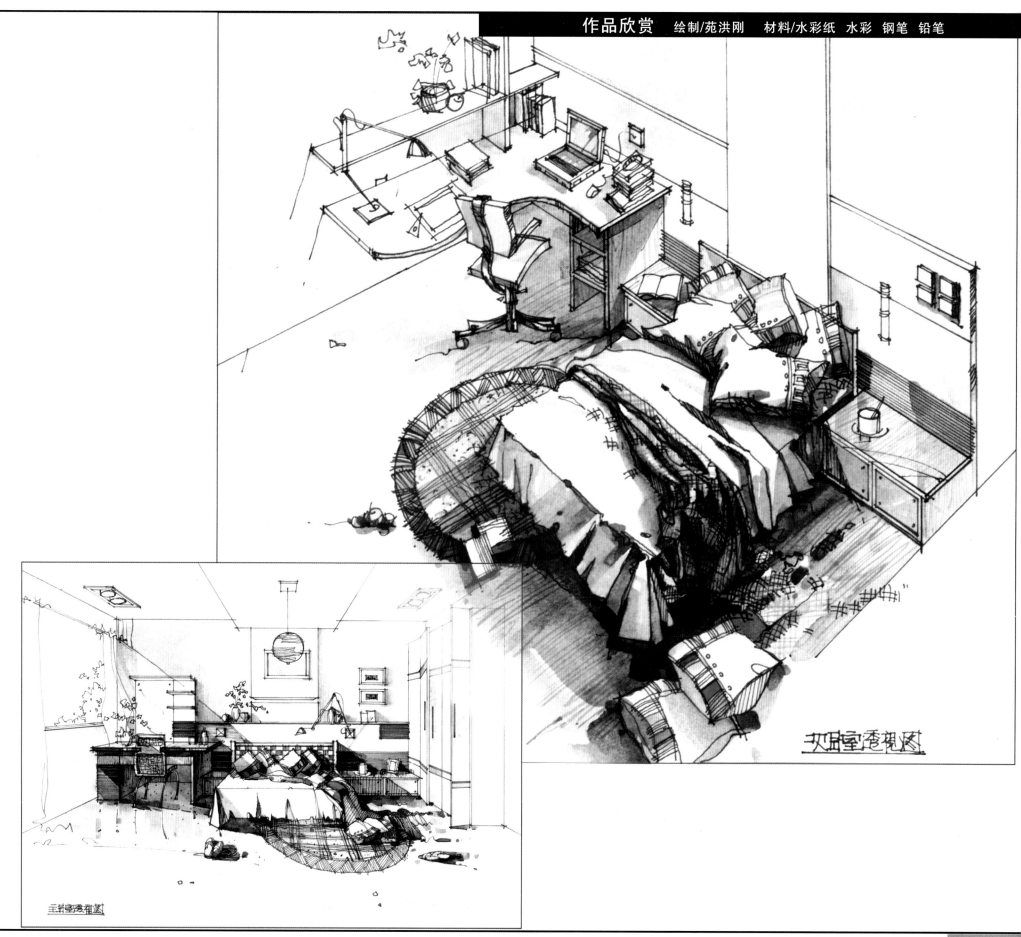

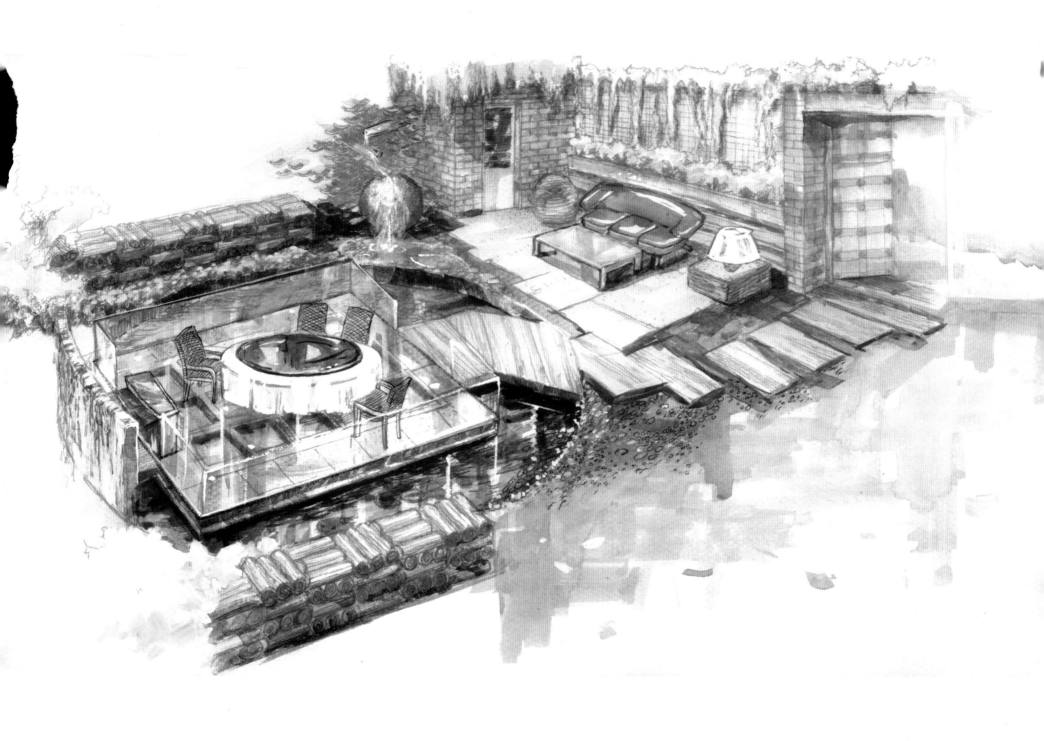